여름으로 지어진 곳

사랑하는 나의 민숙이에게

차례

소운

솜이누나

@esowun

튤립

민트색

뉴욕

피스타치오 아몬드

손 편지

여름의 보리차

복숭아

대선소주

김치찌개

요조 - 우리는 선처럼 가만히 누워를 즐겨 듣고 마음이 시릴 때 드라마 연애시대의 은호와 동진이를 본다

가장 좋아하는 문장은 그래도 옆에 있어줘

책머리에

어디에나 존재하는 단편 소설이다. 고된 현실에 스스로 목숨을 끊은 엄마, 연선의 죽음을 받아들이고 있는 은희를 담아냈다. 차마 자신의 딸, 연선을 보내는 것을 지켜볼 용기가 없어 집에 남아 마당의 화분들에게 물을 주고 있던 할머니, 종순이 있다. 다녀온 은희를 맞이하는 종순은 아무 말 없이 그저 눈앞에 있는 은희의 손과 볼만 쓰다듬을 뿐이다. 자신을 사랑하는 종순과 은희를 두고 떠난 연선의 죽음을 낮잠으로 표현했다.

마음이 늘 고단하고 가난했던 은희는 엄마의 고향 소동에서 산이를 만난다. 내면에서 일렁이는 큰 파도가 산이에게까지 닿을까 봐 내내 불안했다. 상실은 지울 수 없는 여운을 남기고, 잊힐 만하면 또 다른 공허함이 느닷없이 다가왔다. 은희가 꾼 꿈, 가끔 떠올린 산이와의 기억, 그리고 은희와 산이의 마음의 모양 모두 마찬가지다. 은희와 산이는 잔잔한 호수를 만들어서 나눈다. 그 호수는 불안으로, 눈물로, 웃음으로, 포옹으로 지어진다. 산이는 여름 꽃같고, 아침 하늘같고, 새벽 비같고 그러면서도 한없이 올곧은 수평선 같고, 사계절 내내 푸르른 금귤나무같다. 산이와 함께한 계절은 은희가 은희를 처음 사랑한 때이기도 하다. 찰나이기도, 영원이기도 했던 때.

산이는 자꾸만 나를 꿈꾸게 만든다. 아직 열리지 않은 세상을 보여주고 오지 않은 계절을 기다리게 한다. 계속해서 여기에 머물러도 된다는 이유를 만들어 준다. 나는 이미 산이의 눈빛에서 느끼고 있었다. 영원을 확인하는 방법은 그리 어렵지 않았다.

<30p>

아는 진실인데도 마주할 때마다 차곡차곡
쌓아둔 마음들이 모두 무너져내렸다.

<62p>

엄마를 보고 있으면 내 행복까지 다 손에
쥐여 주고 싶었다. 엄마를 사랑하는 만큼
나도 행복해지고 싶고.

<68p>

이 언덕은 모든 안녕을 머금고 있다.

<103p>

프롤로그

바람에 함께 실려 오는 것들은 때때로 오래 남는다. 이를테면 등 뒤에서 내 이름을 부르는 산이의 목소리나, 징검다리 앞에서 머뭇거리는 나를 향해 괜찮다고 소리치는 산이의 목소리, 그리고 기차를 타고 떠나던 내게 잘 살라고 울먹이던 산이의 목소리가 있다. 마음이 담긴 공기들은 우리를 빈틈없이 감쌌다. 산이는 내가 지난여름에 선물한 손수건을 꺼냈다. 뜨거운 하늘 아래 우리는 햇살을 맞잡고 걸었다. 어느 마음이 더 간절한지 생각할 틈도 없이 우리는 더욱 빠르게 걸었다.

저 백당나무는 우리 할아버지가 어릴 때부터 있었대. 아무리 비가 와도 떠내려가지 않는대. 나무도 가끔은 여행 가고 싶지 않을까? 해가 질 때까지 정자에 누워 있었다. 아까부터 눈길이 가던 산이의 가방 안에는 옥수수 두어 개, 사과 네 개, 딸기 한 소쿠리가 들어 있었다. 아무거나 먹어. 산이는 잘 삶아진 옥수수를 내게 건넸다. 할머니가 딸기밭에서 돌아올 때까지 그렇게 기다렸다. 밤부터 비가 내린다고 했다. 꽃잎은 나와 눈이 마주치기도 전에 비와 함께 떠내려갈 것이다. 가을까지 기다릴 수 없었다. 산이를 향한 마음을 모른 척하는 건 오히려 산이의 손바닥에 금목서 꽃말을 적어주는 것보다 어려웠다.

흩날리는 꽃잎을 잡으면 사랑이 이루어진대. 나는 꽃잎을 잡으려고 폴짝폴짝 뛰었다. 때마침 부는 바람이 고마웠다. 잡으려고 하면 안 잡혀. 산이는 가만히 누워서 손을 공중으로 뻗었다. 가만히 있으면 이렇게 잡히는데. 내 손바닥 위에 말간 꽃잎을 건네주며 산이는 말했다. 겨울이 오기 전에 자전거

타는 법 알려줄게. 나랑 같이 어디든 가자. 산이는 자꾸만 나를 꿈꾸게 만든다. 아직 열리지 않은 세상을 보여주고 오지 않은 계절을 기다리게 한다. 계속해서 여기에 머물러도 된다는 이유를 만들어 준다. 나는 이미 산이의 눈빛에서 느끼고 있었다. 영원을 확인하는 방법은 그리 어렵지 않았다. 밤 비에, 얕은 바람에, 쏟아질 것 같은 공기 사이로 흩날리는 하얀 꽃잎, 다정한 눈망울 그리고 산이. 나도 좋아해. 산이가 내 마음에 지어준 여름이면 충분했다.

낮잠

그때, 아주 잠깐 꿈을 꾼 것 같다. 영영 돌아오지 않는 꿈. 그 기억 그대로 멀리 떠나는 꿈. 그 어디에도 허은희의 흔적은 존재하지 않는 꿈.

"좀 웃어요."
경직된 표정으로 카메라를 응시한 은희는 애써 미소 지었다. 누구나 자신만의 모순이 있다고 하지만, 어쩐지 오늘만큼은 자신이 세상에서 가장 큰 모순덩어리가 된 것 같다.
"왼쪽 어깨 약간 내려봐요."
자세를 고쳐 앉는 은희. 평소 사진으로 남겨지는 것을 좋아하지 않지만, 겉으로 드러내지 않으려고 열심히 웃었다. 봉투 안의 사진에는 그 어느 때보다 환하게 웃는 은희가 있다. 어디에 쓸 사진인지 묻길래, 엄마의 유골함 옆에 놓을 거라고 했더니 사진사는 돈을 받지 않겠다고 했다. 사양하는 손길을 뒤로 한 채 제값을 내고 나왔다.
"고맙습니다."
사진관에서 나오니 화창한 햇살이 은희를 반겨주었다. 비가 계속 왔으면 좋았을 텐데. 큰길로 나와 소동 역으로 가기 위해 택시를 탔다. 유리창 너머로 보이는 사람들은 제각각의 표정을 짓고 있다. 검은 정장 안쪽 주머니에서 꺼낸 사진 속의 자신은 마치 처음 보는 사람처럼 낯설다. 역이 보인다. 은희의 입술은 바짝 말라 있었다. 기차를 타자마자 은희는 애써 지우려 했던 오늘의 무거웠던 걸음들이 떠올라서 당장이라도 내리고 싶었다. 서울로 돌아갈지 잠시 생각했지만 이내 바다에 두고 온 복숭아가 떠올랐다. 엄마가 좋아하던 복숭아. 이모의 울먹거리던 전화를 받고 집을 나서던 날에도 집 앞 개나리 슈퍼에서 복숭아를 잔뜩 샀었다.

'우리 열차는 잠시 후 소동 역에 도착하겠습니다. 소동 역에 내리실 손님은 안녕히 가십시오. 고맙습니다.'

역의 왼쪽 철창 너머로 남해가 흐르고 여름 바람에 흩날리는 하얀 백당나무의 꽃이 거리마다 만개한 곳, 소동.

드넓은 바다에 엄마를 뿌리고 뒤도 돌아보지 않고 도망쳐 오던 길이었다.

이틀 전 저녁, 사람들의 발길이 줄어든 장례식장에 엄마의 영정사진을 보며 가만히 앉아 있는 은희가 있다. 사람들은 은희보다 더 슬픈 표정을 짓고, 크게 울고, 여러 번 연선의 이름을 목놓아 불렀다. 친척들은 약속이라도 한 듯 은희의 손을 잡고 토닥거렸다. 이렇게 덧없이 갈 줄 누가 알았냐며, 평생 고되게 살다가 가서 안쓰럽다는 말도 덧붙였다. 아무 생각 없이 앉아있던 은희는 소란스러운 소리에 고개를 돌렸다.

아버지였다.

어떻게 알았는지 궁금하지 않았다. 거뭇거뭇한 수염과 텅 빈 동공의 동렬은 곳곳이 헤진 양복을 입고 서 있었다. 차라리 아무 감정 없는 표정이었다면 나았을까. 은희는 누구보다 슬픈 표정을 짓고 있는 동렬을 빤히 쳐다봤다.

동렬은 은희를 한번 보더니 휘적휘적 걸어와서 연선의 영정사진을 앞에 두고 절을 했다.

"연선아, 그 가서는 능력 좋은 남자 만나서 행복하게 살아라."

고작 와서 하는 말이라곤 저승까지 가서도 남자를 만나라니. 어느 날 밤에 갑자기 동렬이 연선과 은희가 살던 빌라에 찾아온 날이 떠올랐다. 동렬은 잠든 은희의 곁에 앉아 투박한 손으로 은희의 얼굴을 쓰다듬었다. 은희는 눈을 질끈 감고 자는 척을 했었다. 어쩌면 자신도 그동안의 연선처럼 동렬이 변했을 거라고 잠시 믿었는지도 모른다. 어쩌면 엄마가 마음을 돌렸으면 좋겠다고 바랐던 걸지도.

톡- 하는 소리가 들려서 실눈을 떴을 때, 은희의 눈에 보인 건 연선 앞에 무릎을 꿇으며 잘못했다고 울먹이는

동렬이었다.

"됐다…. 다신 오지 마라."

그때 연선은 그 어떤 감정도 묻어나지 않는 냉정한 목소리로 단 여덟 글자만 내뱉었다. 연선은 은희가 깰까 봐 조용히 동렬을 내보냈다. 그 순간 은희의 감은 두 눈앞에 함께 나무를 심던 세 사람의 모습이 보였다. 옷소매로 눈두덩이를 꾹꾹 누르며 우는 연선의 울음소리를 들었다. 우리 셋은 다신 우리가 되지 못한다는 것을 깨달았다. 그리고 앞으로 무슨 일이 있더라도 엄마를 울게 만들지 않겠다고 다짐했다.

"니는 오랜만에 아빠 보고 인사도 안 하나."

"……."

"직장은 다니나."

은희는 천천히 일어나서 부조금을 넣어둔 상자 쪽으로 걸어갔다. 사람들의 시선은 일제히 은희를 향했고, 부조금 상자에 있던 봉투들을 동렬의 무릎에 모두 부어버린 광경에 다들 아무 말도 하지 못했다. 예상치 못한 은희의 행동에 동렬도 당황한 듯했다.

"이거 엄마 목숨값이에요."

"뭐고?"

"이 돈 다 가져가시고 다시는 우리 앞에 나타나지 마세요."

"니 그게 아빠한테 할 소리가!"

"저 돈 없어요. 아버지, 돈 필요해서 오신 거잖아요."

"……."

"이렇게라도 엄마 기억하면서 사세요."

은희는 허리를 숙여 바닥에 떨어진 봉투 더미와 오만 원권 지폐들을 쓸어 모아서 동렬의 양복 주머니에 욱여넣었다.

"이 가시나가 기껏 키워줬더니!"

구역질이 났다.

"그래, 내 인생도 아버지처럼 만 원짜리 한 장에 손 벌벌 떨어가면서 살게 했지. 저 그동안 엄마 때문에 참은 거예요. 아버지니까. 엄마 인생, 내 인생 다 망쳤어도 나 낳아 준 아빠니까. 근데 이제 아니야. 이 돈 가지고 나가요. 가서 술을 마시던지, 마약을 하든지 아니면 차라리 차에 치여서 죽어버려요!"

"……."

"죽더라도 나한테 연락하지 마! 내가 상주해 줄 일은 절대 없으니까. 고모나 작은 아빠한테서 혹시라도 당신 장례식 상주해달라고 연락이 오면, 나도 엄마처럼 죽어버릴 거야."

동렬은 잔뜩 일그러진 표정으로 한마디 더 하려다가, 그제야 주변 사람들의 시선을 의식하며 자신의 앞에 떨어진 돈들을 줍기 시작했다. 은희는 차라리 종순이 쓰러져서 다행이라고 생각했다. 이 꼴까지 봤으면 또 한 번의 초상을 더 치렀을 수도 있겠다고 생각하는 자기 모습에 헛웃음이 났다. 빈소에는 적막만 흘렀다. 은희는 울지 않았다.

모두가 잠든 새벽이 되어서야 은희는 사진 속 환하게 웃고 있는 연선을 바라봤다. 첫 월급을 받았던 날, 비싼 곳에서 맛있는 음식을 사주겠다고 했지만, 연선은 그저 바다가 보고 싶다고 했다. 그 주의 토요일에 과 선배의 차를 빌려 연선이 살았던 고향 소동에 갔다. 소동으로 가는 동안 연선은 쉴 새 없이 옛날얘기를 했다. 평생 들었던 이야기였지만 그 이야기를 할 때마다 볼 수 있는 어느 때보다 행복한 연선의 표정을 보는 게 좋았다. 연선의 미소를 계속해서 지켜주고 싶었다. 엄마 어디 갔어… 진짜 여기에 없구나…. 자꾸만 흘러내리는 눈물을 소매로 겨우 닦아냈다. 축축해진 소매를 만지작거리다가 고개를 들었다.

산이다.

산이가 가만히 은희를 쳐다보고 있었다. 보여주고 싶지 않은 모습을 들킨 기분이 들어서 급하게 눈 주위를 닦으며 일어났다.

"산아."

"……."

산이는 아무 말 없이 은희를 지나쳐 향에 불을 붙이고 영정사진을 바라보며 절을 했다.

11년 만이다.

내 무거운 이야기를 묵묵히 들어주던 산이의 눈망울. 떠나던 내 손목을 붙잡던 산이의 손끝, 기차를 탄 나를 향해 잘 살라고 울먹이던 산이의 목소리. 어디서부터 잘못된 걸까. 은희를 마주 보며 또 한 번의 반절을 마친 산이는 빈소를 나섰다. 돌아서는 산이의 뒷모습을 향해 입술을 한 번 더 달싹였지만 목소리는 나오지 않았다. 한참 후에야 산이는 내게 첫날부터 발인까지 내내 장례식장 안에 있었다고 했다. 다음 날, 연선의 유서대로 화장 했다. 손에 쥐어진 이 작은 병 하나에 연선이 담겨있다고 생각하니 모든 게 다 부질없다는 생각이 들었다. 종순은 쥐고 있던 손수건으로 그 병을 닦고 또 닦았다. 한참을 들고만 있던 은희는 종순에게 평생을 외로움에 갇혀 산 연선을 또 어딘가에 가둬둘 수 없다고 말했다. 소동이 보이는 남해로 가겠다고 했다. 종순은 같이 가겠다는 말 대신 집에서 기다리겠다고 했다. 함께 가지 않는 종순

의 마음을 감히 상상할 수 없었다. 그
렇게 혼자 연선을 보내고 온 은희였다.

꿈속에서 꿈을 꾸고, 또 꿈을 꾸는 거야

기차에서 막상 내리니 선뜻 발길이 떼어지지 않았다. 다신 오고 싶지 않았던 곳. 단 한 번도 떠오르지 않던 곳. 내내 떨쳐버리려 애썼던 곳에 이런 식으로, 이런 마음으로 돌아온 게 믿기지 않았다. 십여 년 만에 온 엄마의 고향은 여전했다. 할머니 집은 마을에서도 안쪽이라 역에서 버스를 타고 20분 정도 들어가야 했다. 연선의 소식을 아는 마을 사람들은 하나같이 엄마가 좋은 곳에 갔을 거라고 했다. 은희는 죽음 후의 세상은 존재하지 않는다고 믿고 싶었다. 엄마의 인생은 고달팠기에 차라리 그렇게 생각하는 것이 엄마에 대한 마지막 예의 같았다.

정류장에 내린 은희는 짐을 다시 고쳐 매고 주변을 둘러봤다. 이 차선 도로 양쪽에 봄꽃이 나란히 피어있던 자리도, 어른들이 낮술을 즐겼던 홍포마을 회관 앞 정자도, 집 앞의 작은 냇가도 여전했다. 변한 것이라곤 항상 창밖에서 은희를 향해 손을 흔들던 연선의 부재뿐이었다. 말라버린 냇가를 바라보며 두 번째 집으로 향했다.

"할머니."

"왔나."

널브러진 농기구와 벽을 따라 나란히 놓인 화분들의 끝에는 허리가 굽을 대로 굽은 외할머니 종순이 물조리개를 들고 서 있었다. 연선을 보내는 것을 차마 지켜볼 수 없어 집에 남아 마당의 화분들에 물을 주고 있던 종순이었다.

종순은 왼손으로 은희의 손을 잡고 다른 손으론 얼굴을 감싸며 말없이 끄덕였다. 잘 보내주고 왔나, 라는 말을 대신해서. 종순의 손에선 젖은 흙냄새가 났다.

"밥은 먹었나?"

"아직, 배 안 고파."

"그래도 무야지, 기다리라. 아침에 끓인 소고깃국이랑 밥 금방 차리줄꾸마."

"할머니, 내가 차릴게."

밥솥을 열었더니 고슬고슬한 밥이 가득했다. 그릇에 밥과 국을 차례대로 담고 냉장고에서 반찬을 꺼내려고 문을 열었다. 얼마 전 연선이 한가득 담아놓은 깻잎무침, 시금치 된장 나물 그리고 무생채를 조금씩 꺼내서 상을 차렸다. 반찬이 조금씩 사라질 때마다 엄마와 멀어지는 것 같아서 기분이 이상했다. 한입에 크게 베어 물려다가 아까워서 밥을 두 번 퍼먹기도 했다. 은희와 종순은 밥그릇 가득 담긴 밥을 다 먹는 동안 아무것도 묻지 않았고, 아무 말도 하지 않았다.

상을 치우고 방으로 들어와 털썩 누웠다. 방 안을 찬찬히 둘러보니 가지런하게 꽂혀있는 책들, 돌돌 말려있는 하얀 양말들, 거울에 바짝 붙어있는 작은 화장품 샘플들 등 곳곳에 연선의 흔적이 가득했다.

"엄마."

낡고 먼지 쌓인 텔레비전 뒤에는 5살 때의 은희와 한껏 부푼 파마머리에 분홍색 원피스로 멋 낸 연선이 활짝 웃고 있었다.

"엄마."

할 말이 많았지만 사진 속 엄마에게조차 무슨 말을 해야 할 지 몰라서 그날 이후 아무 말도 하지 못한 은희였다.

"무생채 맛있더라…."

잔뜩 머금은 말들은 이 한마디면 모두 전해질 것 같았다.

그 순간 열려있는 창문을 통해 하얀 여름 바람이 성큼 들어왔다. 바람결을 따라 고개를 들었더니 은희가 열 살 때 세 식구가 함께 심었던 나무가 보였다. 매년 할머니 집에 와서 동네 아이들과 함께 누가 얼마나 더 컸는지 키를 재곤 했었다. 또래보다 키가 작았던 은희는 항상 맨 뒤에 서 있었다. 그런 은희를 보며 연선은 "우리 은희는 마음이 많이 자랐네."라고 했다.

거실로 나왔더니 걸레로 바닥을 닦는 종순이 보였다.

"이런 거 내가 한다니까."

고집부리는 종순을 가까스로 일으켜 의자에 앉히고 걸레를 반대쪽으로 접어 여기저기 닦기 시작했다. 종순은 눈을 감고 거실에 놓인 바구니 안에 가득 들어있던 귤을 까서 오물오물 씹으며, 평소처럼 불경을 외웠다. 이가 없어서 잇몸으로 귤을 먹는 모습에 새삼 종순의 나이가 여든을 넘겼다는 것을 체감했다. 시작한 김에 집 전체를 청소하고자 작은 방을 열었다. 문을 열자마자 갇혀있던 생선 비린내가 얼굴을 감쌌다. 종순은 늘 작은 방에서 생선을 말렸다. 어린 은희는 겨우 생긴 자신의 방에 매번 생선을 말리는 종순이 미웠다.

지금 사는 이 집은 원래 볏짚으로 지어진 초가집이었다. 이십 년 전, 동렬의 사업이 망해서 빚쟁이들이 찾아왔을 때도, 다 쓰러져 가는 초가집을 보며 이거 뺏어서 뭐 하냐는 소리를 들을 만큼 남루한 집이었다. 벽을 치면 흙이 우수수 떨어지던 집. 한 겨울에는 길에서 자는 것처럼 하얀 입김이 가득했던 집. 아궁이에 불을 때 밥을 해 먹었던 집. 몸을 씻으려면 다 뚫린 마당에서 후다닥 씻어야 했던 집. 결혼하고 1년이 지났을 때, 대학교까지 나왔다던 동렬이 사실은 중학교도 안 나왔다며, 연선의 명의로 2억이라는 빚을 남기고 갑자기 사라졌다며, 알고 보니 사기 결혼이었다고 종순 앞에서 대성통곡했던 집. 평생 할아버지에게 맞으며 살았던 종순이 김 서방이 손질은 안 하니 그저 참고 살라고 연선의 등을 때렸던 집.

동렬은 능력이 없음에도 불구하고 뭐든 해보고 싶어 했다. 남 밑에선 일하기 싫은 고약한 자존심 탓에 이 돈 저 돈 다 끌어모아서 매번 사업을 벌였고, 그 고통은 고스란히 연선과 은희에게 갔다. 보쌈 가게, 치킨 가게, 분식집, 호텔, 정수기, 마트 등 17년 동안 질리도록 말아먹었다. 결혼 전 간호사였던 연선은 은희를 가지면서 일을 그만둔 탓에 17년이 지나 다시 구직을 하기엔

제약이 많았다. 동렬과의 이혼 후, 연선은 낮에는 보험회사에서 일하고 밤에는 식당에서 설거지를 하며 한 푼 두 푼 모았다. 연선은 그렇게 모은 이천만 원을 종순의 앞에 내밀며 이 집을 고치자고 말했다. 18살에 시집와서 60년이 넘도록 추운 집에서 사는 종순이 죽고 나면 평생 한으로 남을 것 같다는 말에 종순은 아무 말 없이 고개를 끄덕였다.

"할머니, 생선 또 여기에 말렸어?"

"그 방이 뜨끈해서 잘 마른다. 방에서 자라, 할매가 거실에서 잘꾸마."

극구 거실에서 자겠다는 종순을 방에 눕히고 소파에 누웠다. 밀린 드라마를 보겠다고 거실에서 새벽까지 버티고 있다 보면, 잠귀가 밝은 연선이 이내 어두운 곳에서 보면 눈이 나빠진다고 잔소리 하면서 나왔다. 부엌 불을 켜고 옆에 와서 앉아 귤을 까주곤 했었다. 왜 엄마 사진은 하나도 찍지않았을 까. 문득 밀려오는 그리움에 질끈 눈을 감았다.

너무 큰 그리움은 저주 같아서

은희가 돌아왔다는 소식이 마을에 퍼졌는지 사람들이 하나둘씩 손에 먹을거리를 들고 왔다. 자두 세 개, 복숭아 두어 개, 포도 한 송이, 토마토 등 그저 마음이 쓰여서 온 게 분명했다. 은희가 줄곧 고모라고 부르며 잘 따랐던 승미도 그중 하나였다. 은희가 어릴 때 좋아했던 누룽지 사탕 한 움큼을 바닥에 놓고선 아무 말 없이 돌아갔다.

그런 마음들이 고마웠지만 은희에게는 마주하고 싶지 않은 다정함이었다. 받아들이는 순간 연선이 세상에 없다는 것을 인정해야만 할 것 같았다.

아는 진실인데도 마주할 때마다 차곡차곡 쌓아둔 마음들이 모두 무너져 내렸다. 아직 엄마 짐도 그대론데, 엄마가 해 둔 반찬들도, 바닥 한구석에 떨어져 있는 엄마 머리카락도, 잡았던 손의 감촉도 여전히 생생한데 자기 손으로 엄마가 죽었다고 신고해야 한다는 사실이 가혹했다.

"할머니, 여기 책방 아직도 있어요?"

"오야."

"엄마 책들 거기에 가져다 놓을까 봐요."

"뭣 하러 그라노."

"엄마 꿈이었대요. 책방에 책 두는 거."

"하이고."

"적어놨더라고⋯."

몇 개는 남겨두라는 종순의 말에 연선이 가장 좋아했던 순으로 5권을 골라서 집을 나섰다. 작은 마을이니 금방 찾겠다 싶어서 호기롭게 나왔지만, 십여 년의 세월은 생각보다 컸다. 길 건너 논밭까지 한참을 헤매고서야 겨우 책방에 도착했다. 시간의 흔적들이 고스란히 담긴 간판과 문 앞에는 투박하게 새겨진 소동책방이라는 목판이 세워져 있었다. 내부는 아늑했다.

"계세요?"

자신이 들어왔음을 주인에게 알리기 위해 제법 큰 소리를 내며 들어온 은희였다. 11평 남짓한 벽을 따라 흑갈색 나무로 된 테이블에 소설, 만화, 시집 등 다양한 책들이 각자의 질서대로 놓여있고 통유리로 된 창가 쪽에는 앉아서 책을 읽을 수 있는 기다란 책상과 의자가 있었다. 엄마 책은 어디에 놓으면 좋을지 돌아보던 중에 문이 열리는 소리가 들렸다.

산이다.

연회색 반소매 티셔츠에 옅은 청바지를 입은 산이는 덜 마른 머리카락을 손으로 대충 흐트러뜨리며 들어왔다. 엄마의 장례식장에서 혼자 울던 자신을 뒤에서 한참을 지켜봤던 산이. 아직 여기에 사는구나. 산이는 은희를 지나쳐서 안쪽 데스크에 처져 있는 커튼을 걷고, 주머니에서 핸드폰과 충전기를 꺼내서 바닥에 있는 콘센트에 꽂았다. 이내 노래를 틀고 갑자기 가게를 가로질러서 나가더니, 가지고 온 물병 속 남은 물을 화분마다 뿌렸다.

"산아."

고개를 돌린 산이는 은희의 손에 들린 책들을 바라봤다. 자꾸만 까닥거리는 은희의 두 번째 손가락에 눈길이 갔다. "거기 두고 가."라고 말한 산이는 구석에서 빗자루와 쓰레받기를 꺼내서 바닥을 쓸기 시작했다. 두고 가라는 산이의 말에 이내 창가 쪽 책상 위에 책을 내려놓았다.

"우리 엄마가 좋아하던 책이야."

"알아."

"안다구?"

"자주 오셨었어."

엄마는 내가 가끔 산이를 생각하는 것을 알았을까. 그래서 나를 이곳에 오게 했을까.

"엄마가 여기를 많이 좋아했나 보네."

"응."

"나한테 한 번도 말한 적 없었는데."

"나한텐 네 얘기 많이 하셨어."

은희는 고개를 돌려 산이를 쳐다봤다.

"우리 엄마, 어디에 자주 앉았었어?"

산이는 창가 쪽 맨 가운데 자리를 가리켰다. 은희는 의자를 빼서 앉으며 작게 속삭였다.

"햇볕 쬐면 기미 생긴다고 그렇게 말했는데도 말 진짜 안 들어."

은희는 한참을 앉아 있다가 종순이 올 시간이 다 되어서 일어났다. 살아있을 때 엄마가 늘 하던 말을 지켜주고 싶은 마음에 두고 왔지만, 막상 책방을 나서자마자 엄마를 두고 오는 듯한 묘한 기분이 들었다. 다시 돌아가서 찾아와야 하나 고민하느라 걸음을 걷다가 멈추길 반복했다. 한참을 갈팡질팡하느라 바로 집에 올 수 없었다.

여기저기 널려있는 연선의 짐을 한군데 모아두기 위해 정리하기로 마음먹은 다음 날 아침이었다. 짐은 생각보다 소박했다. 자다가도 도망갈 일이 빈번했던 시절 때문인지, 연선은 늘 한 보자기만큼의 크기를 유지하며 살았다. 이제 더 이상 도망갈 일이 없는데도 어쩐지 짐을 늘리기를 싫어했다. 책 모서리가 다 닳은 책들, 베갯잇, 꾸깃꾸깃한 보험 서류들, 어디에서 받아 온 탁상 달력, 은희가 미술 시간에 그렸던 그림, 글짓기 대회에서 받았던 상장,

종순이 떠준 장갑과 목도리 등등…. 그 중에서 유독 눈에 띈 것이 가디건 주머니에 들어 있는 은희와 함께 바다에서 찍은 폴라로이드 사진이었다. 어제인 것처럼 생생하게 떠오르는 기억들. 연선과 은희의 웃음소리에 덮인 파도 소리.

엄마를 보고 있으면 내 행복까지 다 손에 쥐여 주고 싶었다. 엄마를 사랑하는 만큼 나도 행복해지고 싶고.

얼추 정리된 것들은 상자에 담아서 옷장 위에 올려두고선, 미리 챙겨 둔 주민등록증과 오천 원을 챙겨서 주민센터로 가기 위해 버스를 탔다.

"니 은희 아니가?"

고개를 숙여 가방 속 동전을 찾던 은희는 자신을 부르는 목소리에 화들짝 놀라서 고개를 들었다. 모자에 안경까지 썼음에도 불구하고 자신을 알아보는 사람은 바로 소동에서 30년 동안 마을버스를 운행한 김 씨였다. 어린 은희는 김 씨가 운전하는 버스를 타고 마을을 몇 바퀴를 돌며 한참을 구경했었다. 연선은 잊을만하면 그때 이야기를 했다. 은희가 창밖을 빤히 쳐다보며 연선에게 '엄마, 나 이 버스 한 대만 사 줘.'라고 했다고. 일곱 살짜리가 어떻게 그런 생각을 했는지, 얼마나 기특하고 웃겼는지 모른다고.

"어데 갈라고?"

"주민센터요."

수없이 머릿속으로 연습했던 장면이다. 성큼성큼 들어가서 번호표 뽑기. '사망신고 하려고요.'라고 말하기. 번호표까지는 망설임 없이 잘 뽑았는데 막상 말하려니 입이 안 떨어졌다.

"어떤 일로 오셨어요?"

"엄마…."

"어머니요?"

"등, 등본 하나만 떼주세요."

그렇게 왼손에 등본 한 장을 들고 밖으로 나왔다. 바보 같이. 그래도 이 종이에 나와 있는 엄마는 아직 살아있다. 은희는 아까 망설이길 잘했다고 생각했다.

그래, 기한까진 시간이 남았으니까…. 조금만 더 엄마를 살려두기로 했다.

여름이잖아

이틀이 지났다. 어제는 잠깐만 울적하고 가끔 잠이 왔다. 지난주를 생각하면 은희는 분명 나아졌다. 온갖 풀벌레들의 새벽 울음소리에 묻혀 며칠에 한 번쯤 울었다. 한참을 울다가 엄마가 이런 내 모습을 바랐을까 싶은 생각에 또 밥을 먹었다. 자꾸만 배가 고팠다.

동이 트면 은희는 딸기밭을 살피러 가는 종순을 따라 나왔다. 종순은 나라에서 제공하는 노인 일터 시스템을 통해 근처 딸기밭에서 하루에 4시간씩 일을 하고 있다. 일을 마치고 돌아오는 길엔 흠이 있어서 어차피 팔지 못하는 딸기들을 자주색 소쿠리에 가득 담아 왔다.

"나는 산책이나 좀 하려고. 할머니 올 시간에 집에 올게요."

길을 나서는 종순의 뒷모습을 한참 바라보다가 은희는 책방으로 발걸음을 옮겼다. 한 여름임에도 갑자기 찾아온 찬바람 때문에 낮에는 덥고 저녁에는 꽤 쌀쌀한 날씨가 며칠간 이어졌다. 집을 나설 때, 외투를 챙길까 말지 고민하던 은희는 어차피 작은 동네이니 괜찮겠지 싶어서 얇은 긴팔 티셔츠만 입고 나왔다. 매일 달라지는 날씨는 엄마가 떠났다는 사실을 부지런하게 알려줬다. 시간을 좀 붙잡아 두고 싶었다. 은희는 처음에 헤맸던 것 치곤 덜 돌아서 책방에 도착했다. 입구 앞 놓여있는 화분들을 보니 괜히 반가웠다. 무럭무럭 자랐으면 좋겠다고 생각하며 문을 열었다. 작은 택배 박스에서 책을 꺼내고 있던 산이는 계속 자기 할 일을 했다. 예상했던 은희는 천천히 엄마의 책들을 찾고 있었다.

"그 책들, 이쪽에 있어."

산이의 말에 화들짝 놀란 은희였지

만 아무렇지 않은 척 자연스럽게 고개를 돌렸다. 계산대 앞에 놓인 밝은 황토색 원목 수납장에는 '이달의 책들'이라고 적힌 손 글씨의 종이와 함께 연선의 책들이 하나씩 진열되어 있었다.

"신경 써줘서 고마워."

지난번엔 경황이 없어서 제대로 둘러보지 못한 게 아쉬워서 오늘은 책을 하나 골라서 진득하게 읽고 가고 싶었다. 곳곳에 새 책도 있었지만 대부분 세월의 흔적이 많이 남은 책들이었다. 한 권을 골라 창가 쪽으로 이동한 은희는 오랜만에 집중해서 글을 읽을 수 있었다. 눈앞의 소동길, 조용히 흐르는 음악들, 책 냄새, 손끝에 느껴지는 종이의 느낌 모두 평화로웠다. 절반쯤 읽었을 때였을까. 창 표면에 작은 빗방울이 묻어나기 시작했다. 아까 우산 없이 걸어간 종순이 떠올라서 급하게 자리에서 일어나 짐을 챙기고 문을 나서려던 참이었다.

"허은희, 우산 가져가!"

"……."

안쪽에 앉아있던 산이는 잰걸음으로 걸어와 문 앞에 서 있는 은희에게 우산을 내밀었다.

"왜 편지 보내지 않았어?"

은희는 기다렸다는 듯이 물었다.

"……."

산이는 아무 말도 하지 않았다. 그사이에 굵어진 빗방울 때문에 마음이 급해진 은희는 할머니를 데리러 가는 게 더 급선무라고 생각했다.

"일단 우산 좀 빌릴게."

은희도 알고 있었다. 내민 손을 뿌리친 것도, 비겁하게 도망친 것도, 적어도 그때 이야기를 먼저 꺼내지 말아야 할 사람 모두 바로 자신이란 것을.

부리나케 뛰어간 덕분에 종순의 일이 끝나는 시간에 맞춰서 도착했고, 산이가 빌려준 우산으로 집에 잘 올 수 있었다. 빗길을 걸어 오면서도, 집에 도착해서 젖은 머리를 말리면서도, 저녁밥을 차리는 내내 자신의 이름을 부른 산이를 떠올렸다.

"할머니, 산이는 계속 여기에 살았어요?"

"그래."

"책방, 걔가 하던데."

"돈 벌러 간다고 그렇게 떠나겠다고 해샀드만, 갑자기 지 아빠한테 그거 하나 하게 해주면 여기서 계속 살겠다고 했다카드라."

산이를 처음 만난 건 서울에서 학교에 다니던 은희가 동렬의 사업 실패로 인해 갑자기 소동으로 내려왔던 때였다. 어릴 때부터 전학을 자주 다녔던 탓에 늘 정 둘 곳이 없었던 은희가 처음으로 마음 둘 친구를 찾아보겠다고 마음먹었을 때였다. 겨우 적응했던 학교를 떠나야 하는 사실이 싫었고, 모든 사람이 자신을 알아보는 소동은 더더욱 싫었다. 늘 바깥만 맴돌았던, 다 부질없다는 생각만 가득했던 때였다.

"계속 여기에 있었구나."

아무리 떠올리려고 해도 그 시절의 기억은 마치 오래전에 버린 물건처럼 아무것도 남은 게 없었다. 그럼에도 잊히지 않는 이름이 바로 산이었다. 그래서 더 무서웠다. 은희는 원래 남들은 신경 쓰지 않는 작은 것들을 기억하는 걸 좋아했다. 마음대로 되는 게 없는 하루였어도 담아두고 싶은 일이 있으면 그날은 푹 잘 수 있었다. 그렇게 자신을 꼭 붙잡은 채 살아야만 했다. 사람에게 기대하는 일이 많아지면 많아질수록 더 그랬다. 그렇게 기억의 모든 의미를 부여했다. 그러다 언젠가부터 행복이 점점 옅어질수록 사소한 기억들에는 곁을 내어주지 않았다.

그때부터였다.

의사는 어린 시절 아버지와의 헤어짐이 발단이라고 했다. 유일하게 이어져 있던 관계의 중심이 무너져 내렸을 때. 닥쳐오는 변화들에 그저 따를 수밖에 없었던 때. 모든 것이 불안하고 위태로웠던 시간 속에서 자신보다 엄마를 위해 버텨야만 했던 때. 하루들을 마음속에 담은 채 살기에는 버거워서, 차라리 기억하지 않기로 했던 때. 그렇게 계속 곪았다. 잠들기 전까지 그때를 떠올리다가 새벽 세 시가 넘어서야 겨우 눈을 감았다.

외면한 적도, 비난한 적도

아침 11시가 되어서야 겨우 눈을 뜬 은희는 부산스러운 소리에 거실로 나왔다. 일요일은 소동 사람들이 모두 모여 마을의 쓰레기를 치우는 날이라고 했다. 먼저 나갈 테니 따라서 나오라는 종순의 말에 걸려있던 모자를 눌러 쓰고 터덜터덜 걸어 나왔다. 곳곳에 난 잡초를 뽑는 이장 장 씨 아저씨, 냇가 근처에 떨어진 쓰레기를 줍는 아이들, 골목에 떨어져 있는 담배꽁초를 줍는 소동 방앗간 사장 김 씨 등 열댓 명 되는 사람들이 하나같이 제 일을 하고 있었다. 집게나 봉투가 없던 은희는 주변을 두리번거리며 나눠주는 곳을 찾고 있던 찰나였다.

"허은희."

그 자리에는 기다란 두 개의 집게와 종량제 봉투를 들고 있는 산이가 서 있었다. 산이는 공중에 탁탁 털어 공기가 잔뜩 들어간 봉투와 집게를 건네며 본보기로 바닥에 떨어져 있는 담배꽁초를 주워 담았다.

"이렇게 하면 돼."

"고마워."

산이와 한참을 말없이 쓰레기를 줍던 은희는 입고 있는 노란 남방셔츠의 목 부분을 잡고 펄럭 거렸다. 얼마 전 미나리 축제로 인해 몰렸던 관광객들이 버리고 간 쓰레기가 많았던 탓인지 봉투는 금세 가득 찼다. 은희는 종순에게 다가가 아까 가지고 나온 물을 건네며 나머지는 자기가 할 테니 들어가서 쉬라고 말했다. 고개를 두리번거리며 온갖 꽃과 들풀이 나 있는 둑길 아래쪽에서 쓰레기를 줍는 산이에게 가서 물었다.

"할머니가 끝나고 밥 먹고 가래."

"……."

"시간 되면…."

"그럴게."

선뜻 먹고 가겠다는 산이의 말에 잠시 기분이 좋아진 은희는 더 열심히 돌아다녔다. 멧비둘기도 구국– 구국– 신나게 울었다. 어둑어둑해 질 무렵 둘은 종순의 집에 가기 위해 나란히 걸었다. 살짝 올려다본 하늘에는 진 주황빛이 가득한 노을이 드리웠다. 장례식장에 어떻게 오게 됐는지, 왜 한 번도 편지를 보내지 않았는지, 그동안 어떻게 지냈는지 묻고 싶었지만, 애꿎은 입술만 물어뜯었다. 산이는 가져다준 연선의 책들을 밤을 꼬박 새워 모두 읽었다고 했다. 작은 책방이지만 생각보다 소일거리가 많아서 부쩍 책을 읽는 시간이 줄었다고 했다. 별거 아닌 이야기를 하다 보니 어느새 집 앞에 도착했고 둘은 종순이 차려 놓은 밥을 한 톨도 남기지 않고 다 먹었다. 은희는 설거지 했고 산이는 거실에 앉아 배를 깎았다. 셋이 둥글게 앉아서 텔레비전에서 나오는 가요무대를 보며 산이가 깎은 배를 먹었다. 평범하고 익숙한 일상이었지만 연선은 없었다.

"안 나오셔도 돼요, 들어가세요."

"또 온나."

종순은 한사코 마다하는 산이 손에 딸기 한 사발과 들기름 한 병을 쥐여줬다. 은희는 마을회관까지 데려다주겠다며 따라나섰다. 산이는 아버지와 둘이 살고 있다고 했다. 집밥이 그리웠는데 오랜만에 맛있는 밥을 먹어서 좋았다고도 했다. 산이는 종순에게 받은 딸기와 들기름을 꼭 안고 걷다가 갑자기 걸음을 멈추고 은희에게 물었다.

"언제까지 있어?"

"……."

은희는 그런 산이를 빤히 쳐다봤다. 산이는 은희와 눈이 마주치자 말없이 다시 걷기 시작했다. 은희도 따라 걸었다. 두 사람은 흙 밟는 소리를 배경 삼아 걸었다. 마을회관 앞에 다다라서야 은희가 말했다.

"너는 이상해."

"내가?"

"왜 묻질 않아?"

"……."

"그때 왜 그렇게 떠났는지, 왜 한 번도 안 왔는지, 편지가 아닌 다른 방법으로 왜 연락하지 않았는지, 왜 묻질 않아?"

"그런 건 중요하지 않으니까."

"왜?"

"이유가 있었겠지."

"……."

"그때도, 지금도."

"……."

산이는 알까.

"나는 네가 아니라서 네 마음, 네 생각, 네 결정 모두 완전히 이해할 수 없어. 그렇지만 네 선택을 존중하거나, 가만히 기다리는 건 내가 할 수 있는 거잖아."

"……."

"그래서 기다렸어, 이런 식으로 다시 만나는 건 바라지 않았지만."

이 지긋지긋하고 구역질이 나는 곳에서 유일하게 버틸 수 있었던 건 아주 사소한 친절 덕분이었다는 것을.

"이제 기다리지 마."

"……."

"이번에 떠나면 나는 다신 돌아오지 않을 거야."

"너는 아직도 솔직하지 못하구나."

밤바람은 생각보다 드세서 스쳐 가

는 자리마다 아팠다. 이곳에 다시 오게 만든 엄마의 선택이, 엄마의 부재가, 그리고 한결같은 산이의 뒷모습이 밉다.

산이는 세워져 있던 자전거 바구니에 딸기와 참기름을 담고 출발하려는 듯 오른발을 페달 위에 올렸다. 그리고 바구니에서 꺼낸 책 한 권을 건넸다.

"내가 찍은 사진으로 만든 거야. 나중에 시간 되면 한번 봐봐."

산이와 꼭 닮은 사진들이 가득했다.

"집에 가서 제대로 볼게, 고마워."

"바다, 보러 갈래?"

"어디로?"

"저 언덕에."

소동이 한눈에 내려다보이고, 저마다의 사연을 품고 있는 곳. 은희에게도 닿아있는 언덕.

"응."

"내일 두 시에 데리러 올게."

은희는 고개를 끄덕인 후 오른손을 살짝 흔들었다. 어색한 손 인사. 이곳에 오고 나서 처음으로 내일 할 일이 생겼다.

너는 아직도 솔직하지 못하구나.

은희는 씻고 누울 때까지 산이의 말을 계속해서 곱씹었다. 뒤척이는 건 은희뿐만이 아니었다. 이 말을 한 건 정작 산이 자신이었으면서, 산이 역시 잠들 수 없었다. 기다리지 말라는 말에 순간의 울컥함을 참지 못했다. 그 말을 한 은희에게도, 그렇다고 이런 말로 은희에게 상처를 준 자신에게도 화가 났다.

소동을 떠났던 은희는 한동안 연락이 되지 않았다. 은희가 성인이 되자마자 동렬이 제4 금융 대부업체를 통해 은희의 명의로 3천만 원의 대출을 받았다는 것을 연선으로 뒤늦게 알게 됐다. 기자가 꿈이었던 은희는 이제 막 대학 생활을 시작하려 할 때, 겨우 다시 손에 쥔 희망마저 놓아야만 했다. 은희로부터 드문드문 배달되는 편지 또한 산이의 우편함을 괜히 한 번 더 열어보게 했다.

은희는 입주 과외를 한다고 했다. 대학교를 자퇴하겠다고 했더니, 일면식도 없던 과 선배한테 연락이 왔다고 했다. 학교 앞 유명한 한옥집에서 백반을 사줬다고. 왜 자퇴하려 하냐고 묻기에, 어차피 학교 그만두면 다신 안 볼 사이인데 뭐 어떤가 싶어서 그동안의 이야기를 다 했다고 했다. 그랬더니 그 선배가 은희의 밥 위에 잘 발라진 생선살을 올려주면서 "은희야, 너 그 돈 다시 돌려받고 싶어? 아니면, 그 돈 없으면 처음부터 다시 시작할 수 있어?"라고, 물었다고 했다. 은희는 애초에 돌려받을 수 있는 돈이었다면, 자퇴할 생각은 하지 않았을 거라고 대답했다고 했다. 그랬더니 입주 과외를 소개해 줬다고 했다. 예전에 가르치던 학생인데 한번 가르쳐 보라고. 그렇게 그 집에서 숙식도 해결하면서 저녁에 두 시간씩 공부를 봐 주기로 했고, 그전까진 새벽에 일어나서 근처 패스트푸드점에서 일한다고 했다. 번화가라서 그런지 다른 매장들보다 시급을 꽤 많이 쳐줘서 빚을 빨리 갚을 수 있을 것 같다고 했다. 1학년 1학기에는 휴학이 불가능해서, 출석보다 시험 비중이 높은 수업으로 신청해서 남는 시간에 공부하는 방법을 택했다고 했다.

연선과 산이에게 쓰는 편지의 전체적인 내용은 같았지만, 중간에 덧붙여진 은희의 속마음은 조금씩 달랐다. 산이에게 보내는 편지에는 사실 지난달 부터 물류센터에서 알바도 하고 있다 거나, 가끔 이게 마지막 편지일지도 모르겠다거나, 눈칫밥이라도 배부르게 먹으니 좋아서 한 그릇 더 먹었다는 비밀 이야기가 더해졌다. 어느 봄에는 빚을 다 갚고 제일 먼저 엄마 성으로 성본 변경을 했다고 했다. 지긋지긋한 김씨 집안과 영영 안녕해서 홀가분하다며 이제 허은희가 됐으니 그렇게 불러 달라고 했다. 동기들보다 취업이 늦어 걱정이 많았는데 운 좋게 지역 신문사에 일하게 될 수도 있다고 했다. 그러다 몇 달 후에 오랜만에 편지가 왔다. 이제 다 끝난 줄 알았는데 얼마 전 2천 6백만 원의 독촉장이 날아와 확인해 보니 자신의 명의로 모르는 번호가 개통되어 있었다고, 또 동렬의 짓이면 자신은 죽어버리겠다는 내용이었다. 그 편지를 끝으로 더 이상 연락이 없었다. 은희는 종순과 연선에게도 연락하지 않았다. 그 어디에서도 은희를 볼 수 없었다.

산이는 은희가 죽어버렸을까 봐 무서웠다. 한동안 은희를 찾으러 다녔다. 은희는 매번 보내는 주소란에 다른 주소를 써서 보냈었는데, 대부분의 주소는 실제로 존재하지 않거나, 집이 아닌 다른 건물이거나, 더 이상 은희가 살지 않는 곳이었다. 은희가 주로 편지를 썼던 곳들엔 항상 우거진 나무들이 가득했다. 이 넓은 서울을 혼자 돌아다녔을 은희의 뒷모습이 보였다. 저녁에 돌아올 차비가 부족해서 새벽에 더 일찍 일어나서 일하러 갔다는 아침의 발걸음을 따라 걸었다. 하루는 영하 20도까지 떨어졌던 겨울이었다고 했다. 마트에서 양손 가득 장을 보고 나오는데 버스비 1,250원이 아까워서 버스 정류장 세 정거장 거리를 걸어오던 길이었다고 했다. 신호가 바뀔 때까지 기다리고 있는데 횡단보도 바로 앞 꽤 비싸 보이는 이탈리안 레스토랑의 창가 자리에 멋지게 정장을 차려입은 네 식구가 앉아있었다고 했다. 막내딸의 생일파티였는지 화려한 분홍색 케이크에 하트 모양의 촛불을 불고, 다정해 보이는 아빠는 정성껏 포장된 선물을 건넸다고 했다. 모두 세상에서 가장 행복한 사람들처럼 웃고 있었고, 은희는 짐이 무거워서 울었다고 했다. 바람이 얼마나 대차게 불었는지 손가락에서 피가 날 만큼 아파서 길거리에서 사람들이 다 쳐다보는데도 큰 소리로 울어버렸다고 했다. 그 이후론 그 횡단보도로는 다니지 않는다고도 했다. 편지를 쓰면서도 울었는지 몇몇 글씨가 번져있기도 했다. 산이는 서울로 돌아오는 동안 그 겨울의 은희처럼 울었다. 아무것도 할 수 없는 자신이 싫었다.

그리고 어딘가에 살아있을 은희에게 약속했다. 기다리겠다고. 네가 마음만 먹으면 닿을 수 있는 거리에 있겠다고. 소동에 돌아온 후엔 그동안 받았던 은희의 편지에 답장을 보냈다. 가끔 은희가 죽었다는 소식을 듣는 꿈을 꾼 날에는 두세 개의 편지를 보내기도 했다. 이따금 존재하지 않는 주소로 보낸 편지들은 반송되기도 했다. 은희도 이런 마음으로 자신에게 편지를 보냈을까 싶은 밤도 있었다. 그런 날에 보낸 편지들을 다시 돌려받았을 때는 은희에게 닿지 않아서 다행이라고 여기기도 했다. 산이는 그렇게 부서지는 물결 속에서 자꾸만 고꾸라졌다. 은희가 돌아올 때까지.

그렇게 애타게 보고 싶었던 은희가 바로 눈앞에 있었을 때, 가까스로 잡고 있던 이성의 끈이 끊어질 뻔했다. 당장이라도 두 볼을 감싸고 그동안 어떻게 살았냐고, 왜 짧은 편지라도 보내주지 않았느냐고, 주소는 왜 그따위로 쓴 거냐고 따지고 싶었다. 그런데 은희의 얼굴을 보니 그게 다 무슨 소용인가 싶었다. 검은 상복을 입은 은희는 곧 죽을 것 같은 얼굴로 남들 몰래 구석에서 눈물을 닦고 있었다.

"산아."

처음 그날처럼 내 이름을 불러줬다. 저 부름에 한 마디라도 대답하는 순간, 당장이라도 고여있는 울음을 터뜨릴 것 같은 얼굴을 하고 있었다. 아마도 사람들 앞에서 울고 싶지 않아서 내내 참고 있었을 것이다. 아무렇지 않은 척 영정사진을 향해 절을 한 후, 말없이 은희를 한 번 더 눈에 담았다.

은희야, 고마워. 살아있어 줘서.

그렇게 빈소에서 나와 발인 날 새벽 동이 틀 때까지 장례식장 건물 안에 있었다. 은희가 손만 뻗으면 닿을 거리에 있겠다고 스스로 약속했던 날이 떠올랐다. 무엇보다 은희를 혼자 두고 싶지 않았다. 더는.

그 시선의 끝

이 언덕은 모든 안녕을 머금고 있다. 두 사람의 첫인사는 오후의 낮잠에서 시작됐다. 은희가 전학 온지 며칠 안 되었을 때였다. 수군대는 아이들이 지겨워서 점심시간을 틈타 도망쳐 나왔다. 어디를 가든 알아보는 사람들뿐이라, 최대한 멀리 오르다 보니 여기까지 오게 됐다. 숨을 내뱉을 때마다 그늘을 품고 있는 나무와 가까워졌다. 언덕진 곳에서 바라본 수평선은 끝이 모호했다. 바다가 손에 잡힐 듯 한눈에 보였다. 어디서부터가 하늘이고 어디까지가 물결인지 나눌 수 없을 정도로 햇살과 일렁이는 바다가 맞닿아 있었다. 은희는 차오르는 눈물을 애써 참고 있었다.

"여기에 누워서 소원을 빌면 나무가 들어준대."

갑자기 들려 온 소리에 화들짝 놀란

은희는 그 자리에 주저앉았다.

"깜짝이야."

놀란 마음을 쥐고 일어나서 고개를 돌렸다. 나무 옆 정자 아래에 산이가 가방을 베고 누워있었다.

"거기서 뭐 하는 거야?"

"너처럼 땡땡이."

이상하게 안심됐다. 누군가의 비밀 기지로 잘 도망쳐 온 기분이 들었다.

"여기에 누워서 소원을 빌라고?"

"응."

"넌 내가 바보 같니?"

"왜 그렇게 생각해?"

"그걸 누가 믿어?"

"왜 못 믿는데?"

"……."

자꾸만 바람이 불어 머리카락이 제멋대로 얼굴에 엉겨 붙었다.

"누우면 바람 안 와."

은희는 날아 온 나뭇잎이 눈을 찔러서 아프다고 구시렁대며 누웠다. 바닷소리가 들렸다.

"너는 소원 빌어봤어?"

"난 그런 거 안 해."

"왜?"

"소원이 없어서."

"좋겠다, 난 많은데."

산이는 감고 있던 눈을 떠 은희의 왼쪽 얼굴을 찬찬히 바라봤다. 빨갛고 하얬다. 은희는 산이의 시선을 느껴 힐끗 옆을 봤다가 이내 하늘을 올려다봤다.

"그러면 다 말하면 되겠네."

"전부 다?"

"하나는 들어주겠지."

이번에는 은희가 산이의 옆모습을 담았다. 눈이 마주쳤다. 어떤 말도 할 수 없었다. 편안했다. 한참을 그렇게 있었다.

밤하늘이 태양을 모두 안아버릴 때까지 둘은 언덕에 나란히 앉아 있었다. 은희는 이따금 고개를 치켜들며 하늘을 향해 한숨을 쉬었다. 산이도 따라 했다. 날이 점점 어둑해졌다. 종순이 돌아오기 전에 집에 가야하는 은희는 서둘러 자리에서 일어났다.

"나 먼저 간다."

"같이 가."

"너 자전거 가지고 내려가야 하잖아, 나 뛰어야 해."

"알았어."

은희는 서있는 산이를 향해 손을 흔들었다.

"산아, 잘 가!"

"내 이름 알고 있었어?"

"응!"

진 주홍빛으로 물든 노을, 여름 철새의 울음소리, 맞닿은 두 개의 시선, 그리고 은희가 부른 산이의 이름. 열아홉 살의 여름밤. 모든 것은 산이의 마음속에 뚜렷하게 남았다.

안녕을 머금은 언덕

새벽부터 추적추적 비가 내렸다. 일찍 잠이 깬 은희는 슬그머니 올라오는 적막을 적막으로 누르고 있었다. 넌더리가 났다. 우는 대신 종순의 옆에 누웠다. 나프탈렌 냄새가 났다.

"할머니…."

"오야."

"엄마는… 엄마는 나를 얼마나 사랑했을까?"

"우리 강생이, 엄마 보고 싶나."

종순은 은희가 아장아장 걸어 다닐 때부터 종종 강생이(*'강아지'를 의미하는 경상도 방언, 주로 어린 자식이나 손주를 귀엽게 이르는 말)라고 불렀었다. 무릎을 베고 누운 은희의 볼과 눈썹을 쓰다듬었다. 다 갈라진 손이 닿을 때마다 마른 풀이 서걱거리는 소리가 났다.

"할머니, 나 서울 가고 싶어."

"가고 싶나."

"응…."

은희의 어깨가 한참 동안 떨렸다. 종순의 무릎에도 비가 내렸다.

"나중에 비 잠깐 그친단다. 밥 묵고 가라. 니 좋아하는 쥐포 튀김 해줄꾸마."

"할머니도 나랑 서울 가서 살까?"

"내는 여기가 좋다. 여기 있어야지… 그래야 느 엄마가 놀러 오지."

엄마를 두고 갈 만큼 무거웠던 걸까, 우리 엄마는.

"맞네… 다 가버리면 우리 연선이 서운해하겠다, 그치."

"내가 빨리 죽어뿌어야 니가 훌쩍 떠날 텐데, 늙은 게 쓰잘머리 없이 명이 길다."

"……."

할머니는 얼마나 더 살까. 그리워해야 하는 시간이 길어서 남은 평생이 무섭다.

언제 비가 내렸냐는 듯이 비가 그쳤다. 마당에서 울리는 산이의 자전거 벨소리가 들렸다. 산이는 은희를 등 뒤에 태우고 높은 언덕으로 데려갔다. 알고 있었다. 오늘 이후로 또다시 은희를 보지 못한다는 것을. 예상대로 은희는 도착하자마자 말했다.

"나 떠날 거야."

산이는 겉옷을 벗어 은희의 어깨에 둘러주었다.

"그거 알아? 넌 표정에서 다 드러난다."

"알고 있었단 말이야?"

"만났을 때부터 얼굴에 다 쓰여있었어."

"그럼, 뭐 하러 여기까지와, 거기서 물어보지."

"데려오고 싶었어."

"……."

"보여주려고."

그제야 뒤에 세차게 일렁이는 파도가 보였다. 차라리 저 파도 속에 산이와 함께 빠져버리고 싶었다.

"너랑 함께한 이 시간이 잠깐 꾼 꿈 같았어."

더 이상 어떤 말도 하지 말아 달라는 얼굴로 서 있는 산이를 보며, 그때는 하지 못한 말을 꺼내놓는다.

"나에겐 내일이 없어…."

산아, 나를 꿈꾸게 만들지 마.

"가지 마."

"……."

산이가 운다.

"내가 이 꿈에서 깨지 않게 해주라."

"……."

늘 나를 보며 눈물 고이게 참아주던 저 눈이 울고 있다.

"은희야."

"우리는 함께 할 수 없어."

"방금 네가 한 말 중에 우리만 들렸어."

"아무 의미 없는 단어였어. 의미 부여 하지 마."

"여기가 싫으면 나랑 같이 떠나자."

아무리 밀어내도 산이는 또 손을 내밀어 준다. 자꾸만 함께 참아주겠다고 한다.

"네가 행복했으면 해… 진심이야."

"……."

뒤돌아보지 않고 뛰었다. 당장이라도 벗어나고 싶었다. 이곳에서. 어떤 감정도 떠오르지 않는 곳으로. 소동에 올 때와 같은 모습이었다. 은희는 어젯밤에 미리 싸뒀던 짐을 가지고 집을 나섰다. 기차 시간에 맞춰서 가기 위해 걸음을 서둘렀다. 미련 없이 떠나는 거야. 산이를 다시 만나기 전의 자신을 떠올렸다. 겨우 일상을 찾았는데. 어떻게 찾았는데. 그래, 이게 맞는 거야. 가까스로 찾은 균형이다. 아무 일도 만들지 않는 것이 최선이다. 변수를 만들지 말자. 나한테 언제 또 불행이 찾아올지 모르는데. 산이는 안돼. 산이까지 불행하게 만들 순 없어. 그래서 떠나는 거야.

기차에 탄 은희는 서울에 있는 선배에게 연락했다. 하루만 재워줄 수 있냐고 물었다. 전화를 끊고선 의자에 기댔다. 정신없이 뛰어와서 머리가 지끈거렸다. 산이는… 산이는 집으로 갔을까. 가방을 선반에 올리기 전에 물을 꺼내려고 열었더니 책 한 권이 있었다. 산이의 책. 절실하게 쌓아 올린 마음은 첫 장을 펼치자마자 무너졌다. 모두 은희가 살았거나, 잠시 머무르며 산이에

게 편지를 썼던 장소들이다. 그리고 산
이의 편지들.

은희에게.

너를 이해하고 싶어서 네 편지를 또 읽었어. 아직도 꿈 같아. 나는 너를 영영 이해하지 못하겠지. 매일 하루만큼 멀어진다. 나는 자꾸만 덜컥거리고 어디로 가는지 몰라서 자꾸만 고개를 내밀어. 너를 기다리고 있어.

은희야,

오늘 집에 오다가 다람쥐를 봤어. 다람쥐는 아몬드를 좋아한다고 네가 그랬잖아. 그래서 한 달 전부터 매일 주머니에 아몬드를 넣고 다녔거든. 매일 앉아서 기다렸는데도 안 오는 거야. 만나면 너한테 말해주려고 열심히 기다렸는데….

하루가 일주일이 되고, 일주일이 한 달이 되도록 아직도 못 만났어. 이제 집에 오는 길에 다람쥐를 기다리는 게 습관이 된 것 같다. 너는 모르지. 내가 어떤 마음으로 거기에 앉아서 기다렸는지. 나는 이제 누구를 기다리는지 모르겠어.

너는 어디에 있어?

은희에게,

잘 도착했어? 그래, 이 편지는 네가 떠나기 전에, 그것도 한참 전에 쓴 편지야. 이걸 읽고 있다면 너는 또 나를 떠났겠구나…. 괜찮아. 난 네가 언젠간 떠날 거라고 늘 생각했어. 언제든 마음의 준비를 하고 있었고, 그런 너를 붙잡을 자신이 없었어. 네가 떠나고 싶다는데, 네 인생인데 내가 막으면 안 되잖아. 만약 내가 널 잡았다면, 아주 큰 마음을 먹고 한 행동이라고 생각해 줘.

너를 위해서 내가 무엇을 해줄 수 있을까. 그 긴 시간 동안 나 자신이 그렇게 싫었던 적이 없었어. 네 아버지를 죽여버리면, 그렇게 해서 네가 자유로워질 수 있다면 나는 기꺼이 그럴 수 있는데. 너는 원하지 않잖아…. 넌 아버지를 증오하는 만큼 마음 쓴다고 했잖아. 네 잘못이 아니야. 나도 그랬어.

은희야, 우린 아마 이 숙제를 계속 가지고 살게 되지 않을까. 그렇다면 네가 품고 살아야 하는 그거, 나한테도 나눠 줘. 너의 슬픔이 끝도 없는 저 아래로 끌고 가면 내가 함께 가줄게. 모자란 부분은 마음으로 채워 넣을게. 널 그게 싫으면 내게 가끔 편지라도 해줘.

하얀 바람이 불던 그 언덕에서 너를 만난 날은 여전히 생생해. 네가 내 이름을 불러줬을 때, 네가 또 어떤 표정을 지을지 궁금해졌었어. 다음엔 내가 받아보지 못한 것들을 너에게 해주고 싶었어. 그다음엔 이 마음이 우정이든 사랑이든, 너에게 작은 무한함을 주고 싶었어…

언제든 돌아와도 돼. 싫어도 와. 기다릴게.

비눗방울 밖에서도 여전하다면

기차에서 내려서 숨이 차도록 뛰었다. 함께하자는 산이의 말에 망설인 것을 후회했고, 자신을 믿어준 산이가 혼자 떠났을까 봐 두려웠다. 고맙다는 말 한마디면 됐는데. 뛸 때마다 밟는 빗방울들이 마치 산이는 이미 떠났다고 소리치는 것 같았다. 버스 정류장, 마을 회관, 소동 방앗간을 차례대로 지나 산이와 낙조에 물들었던 언덕이 보였다. 어두워서 잘 보이지 않았지만 가까워질수록 산이의 목소리가 들리는 듯했다.

"산아!!"

아무런 대답도 돌아오지 않았고 자꾸만 눈물이 났다. 숨이 차서 심장이 아픈 건지, 또 혼자가 되었다는 사실에 아픈 건지 구분이 되지 않았지만 멈추지 않았다. 가라앉은 마음이 찾아올 때 헤어 나오지 못하게 될까 봐 애써 들여

다보지 않으려고 하는 순간들의 연속이었다. 그저 스쳐 지나갈 곳이라고 생각했던 곳에서 예상치 못하게 산이를 만나서 계속 머무르게 될 줄 몰랐다. 내일은 떠나야지, 내일은 떠나야지 마음먹었지만 내일 당장 산이를 보지 못하게 된다고 생각하니 잠들고 싶지 않았다. 산이가 네 선택을 존중한다고, 또 떠나버려도 괜찮다고 할까 봐 겁이 났다. 점점 가까워지는 나무 아래에 그토록 달려온 이유가 있었다. 참았던 울음이 터졌다. 달려오는 은희를 향해 산이가 한 걸음, 두 걸음 다가왔다.

"미안해."

비에 홀딱 젖은 채로 온몸이 들썩일 정도로 우는 은희를 와락 안은 산이는 한참을 가만히 있었다. 겨우 울음을 멈출 동안 매섭게 내리던 여름비도 서서히 그쳐가고 있었다.

"와줬네."

"또 등 돌려서 미안해. 너한테 상처 줘서 미안해."

"허은희."

"이제야 와서 미안해."

"은희야."

어떤 것들은 오래 남아있지 않고 짧게 지나간다. 찰나의 것이다. 붙잡고 싶어지면 허무하게 사라진다. 나약한 나는 다가오는 다정함 속에서 늘 속수무책으로 휩쓸려 왔다.

"엄마는 이런 좋은 곳도 있었으면서 왜 그렇게 죽어버렸을까."

"은희야…."

"나도 죽고 싶었는데."

"……."

"매일매일 죽고 싶었는데. 그래도 엄마 때문에 참았는데. 내가 어떻게 버텼는데."

은희는 원망 섞인 울분을 토해냈다.

"사랑한다면서. 나만 버리고. 이 세상에 나 혼자 버려두고 죽어버렸어…."

"……."

"이런 거 모르고 살 수도 있는데. 나는 그런 애들이 부러웠어. 사랑만 받고 자란 애들. 세상 물정 모르는 애들. 서울에 가니까, 대학에 가니까 그런 사람들이 너무 많은 거야. 나는 나 같은 게 당연한 줄 알았는데 그게 아니더라. 내가 이상한 거였어. 내 아빠 같은 사람은 세상 어디에도 없더라. 아빠가 내 인생을 송두리째 흔들어버렸을 때도, 나는 괜찮았어. 어쩌면 오래전부터 그 정도 각오는 하고 있었는지도 몰라.

그런데 산아, 난 아직도 기억해. 엄마 장례식장에 와서 나한테 직장은 다니냐고 묻던 아빠의 표정 말이야. 못 견딜 정도로 역겹고 징글맞았어. 이건 언제 끝날지 몰라. 나는 이 상처들을 평생 지고 살아야 해. 피하고 싶다고 해서 피할 수도 없어. 이건 내 운명이니까 난 괜찮아. 너는 아니잖아. 넌 이런 거 평생 모르고 살아도 되는 사람이야. 네 앞에서 자꾸만 나도 그런 사람이 되고 싶은 욕심이 들더라. 하지만 난 그럴 수가 없어. 난 누구에게 기대는 것도 사치인 사람이야. 나랑 함께하면 너도 불행해질 거야. 그래서 떠난 거야."

이 동네가 싫다. 지우고 싶은 기억을 자꾸만 선명하게 만든다.

산이는 손을 뻗어 나무를 가리켰다.

"기억나? 이 나무."

산이의 손짓을 따라 고개를 올려다봤다. 11년 전, 두 사람이 처음 만났던 백당나무다.

"나는 너에게 당연한 사람이 되어주고 싶어. 옆에 있는 게 당연하다고 여겨도 되는 사람."

"……."

"너의 어떤 것도 미워하지 않는… 사랑이든, 배려든, 호의든, 너는 그저 받기만 해도 되는 사람. 그래도 되는 사람 말이야."

"그런 게 어딨어."

"여기 있어."

"네가 왜 그래야 하는데."

"그날, 네가 소원 빌고 싶다고 했을 때, 혼자 하기 싫다고 같이 해달라고 했잖아."

"응."

"나는 네 소원들 다 이뤄지게 해달라고 빌었어."

"……."

"그리고, 또 그런 얼굴로 이곳에 올라오는 일이 없게 해달라고 했는데… 하나도 안 들어 주더라."

은희가 피식 웃어버렸다.

"그러게."

"그래도 같이 있으면 이렇게 웃잖아, 우리."

은희는 자신도 모르게 산이의 옷깃을 자꾸만 잡았다. 놓치고 싶지 않았다. 느닷없이 다가오는 감정에는 이유가 없을 때가 많다. 희미해지는 감정들을 두 손으로, 두 눈으로, 온 마음 다해 잡다 보면 혼자가 아니라고 느껴질 때가 있다. 이 감정들이 곁을 감싸주고 있으니까. 산이도 그랬다. 늘 내 옆에 있었다. 나풀거리는 나뭇잎 사이로 우리는 함께 웃었다. 은희는 내일 주민센터에 갈 것이다. 엄마의 낮잠을 알리러.

여름으로 지어진 곳

글 소운
편집 소운

펴낸곳 오롯이
ISBN 979-11-982716-2-4

전자우편 esowun@daum.net
instagram @esowun

초판 1쇄 2023년 10월 19일

* 글꼴로 도스고딕체(leedheo 제작)를 사용하였습니다.

세상의 모든 은희에게

여름으로 지어진 곳